H. Jackson Brown, Jr.

MAŁY PORADNIK ŻYCIA

511 rad, spostrzeżeń i przypomnień
pomagających przeżyć szczęśliwe i owocne życie

Przełożył Lech Jęczmyk

Media Rodzina of Poznań, Inc.

Tytuł oryginału
Life's Little Instruction Book

ISBN 83–85594–03–5

WYDANIE TRZECIE

Wydawnictwo „Media Rodzina of Poznań, Inc.", ul. Pasieka 24
61–658 Poznań, tel. 20–34–75, tel./fax 20–34–11

Łamanie komputerowe i diapozytywy: perfekt s.c., Poznań, ul. Grodziska 11
Druk: Zakłady Graficzne w Poznaniu ul. Wawrzyniaka 39

Do Czytelnika polskiego

W polskiej edycji tej książki postanowiliśmy pozostawić wszystkie rady i wskazówki amerykańskiego ojca kierowane do jego amerykańskiego syna. Większość z nich ma charakter uniwersalny, ale są i takie, które odnoszą się głównie do życia w Ameryce.

Dlatego dołączyliśmy do książki tekst oryginału wraz z objaśnieniami, które mogą ułatwić jego zrozumienie. Jeśli jesteś zainteresowany oryginalną wersją angielskiego tekstu, lub jeśli czegoś nie rozumiesz, możesz zajrzeć do aneksu.

Po polskim przekładzie pozostawiliśmy także kilka pustych stron. To miejsce dla Twoich rad i przypomnień.

Jeśli podarujesz tę książkę komuś bliskiemu, to co napiszesz od siebie, będzie miało szczególną wartość.

Chcielibyśmy przygotować również wersję *Małego poradnika życia*, który zawierałby rady i wskazówki na temat szczęśliwego i godnego życia w Polsce. Wcale nie jest łatwo żyć godnie, a trwające aktualnie w naszym kraju przemiany czynią ten fakt jeszcze ważniejszym.

Jeśli zamierzałbyś podzielić się swoimi doświadczeniami życiowymi, prosimy, napisz do nas.

Lech Jęczmyk i Robert D. Gamble
ul. Pasieka 24
61–658 Poznań
tel. (0–61) 20–34–75

WSTĘP

TA KSIĄŻECZKA zrodziła się jako prezent dla mojego syna Adama. Kiedy on pakował swoje stereo, maszynę do pisania, granatową marynarkę i inne rzeczy niezbędne w jego nowym życiu studenta, ja zasiadłem w saloniku, żeby zapisać kilka spostrzeżeń i rad, które według mnie mogłyby mu się przydać. Przed laty przeczytałem, że obowiązkiem rodziców nie jest prowadzenie dzieci za rączkę, tylko zaopatrzenie ich w mapę. Miałem nadzieję, że w tym duchu wykorzysta poniższe refleksje serca i umysłu.

Zacząłem pisać i to, co jak sądziłem, zajmie mi kilka godzin, trwało kilka dni. Zebrałem swoje odręczne notatki, przepisałem je na maszynie i oprawiłem w gotowe okładki. Potem poszedłem do garażu i wsunąłem pod siedzenie samochodu.

W kilka dni później z żoną pomagaliśmy mu przeprowadzać się do pokoju w domu studenckim. Kiedy już się urządził, poprosiłem go, żeby poszedł ze mną na parking. Nadszedł czas wręczenia prezentu. Sięgnąłem pod siedzenie samochodu i stwierdzając, że to jest to, co wiem na temat szczęśliwego i owocnego życia, wręczyłem mu oprawione strony. Uścisnął mnie i podał mi rękę. Była to bardzo wzruszająca chwila.

Później te stronice maszynopisu zmieniły się w książeczkę, którą trzymasz teraz w ręku. Może nie zgodzisz się ze wszystkimi radami i pewnie na podstawie własnego doświadczenia możesz dodać setki innych. Nie wszystkie są jednakowo ważne, ale wszystkie w jakimś stopniu wzbogaciły moje życie, zwiększając jego radość, sens i skuteczność.

W kilka dni po tym, jak wręczyłem synowi ten zbiór porad, Adam zatelefonował do mnie z uczelni. — Tato — powiedział — przeczytałem tę książeczkę i myślę, że to jeden z najlepszych prezentów, jakie w życiu otrzymałem. Będę do niej dodawał swoje spostrzeżenia i kiedyś dam ją swojemu synowi.

Raz na jakiś czas zdarza się, że człowiek otrzymuje od życia wielki prezent i wtedy promienieje ze szczęścia. Wiem coś o tym. Właśnie coś takiego przeżyłem.

Adamowi, synowi
i w wielu sprawach mojemu nauczycielowi

Synu, jak ci mam pomóc widzieć?
Może staniesz na moich ramionach?
Teraz widzisz dalej niż ja.
Teraz widzisz za nas obu.
Czy powiesz mi, co widzisz?

1 ◆ Powiedz coś miłego trzem osobom dziennie.

2 ◆ Miej psa.

3 ◆ Przynajmniej raz w roku oglądaj wschód słońca.

4 ◆ Pamiętaj o urodzinach innych ludzi.

5 ◆ Dawaj hojne napiwki kelnerkom, które podają śniadania.

6 ◆ Miej mocny uścisk dłoni.

7 ◆ Patrz ludziom prosto w oczy.

8 ◆ Mów jak najczęściej „dziękuję".

9 ◆ Mów jak najczęściej „proszę".

10 ◆ Naucz się grać na jakimś instrumencie.

11 ◆ Śpiewaj pod prysznicem.

12 ◆ Używaj dobrych sreber.

13 ◆ Naucz się przyrządzać znakomite chili.

14 ◆ Sadź kwiaty każdej wiosny.

15 ◆ Miej doskonałe stereo.

16 ◆ Mów pierwszy „dzień dobry".

17 ◆ Żyj poniżej swoich możliwości.

18 ◆ Możesz jeździć tanim samochodem,
ale miej najlepszy dom, na jaki cię stać.

19 ◆ Kupuj znakomite książki,
nawet gdybyś miał ich nie czytać.

20 ◆ Bądź wyrozumiały dla siebie i innych.

21 ◆ Naucz się trzech przyzwoitych dowcipów.

22 ◆ Miej zawsze czyste buty.

23 ◆ Czyść zęby nitką.

24 ◆ Pij szampana bez szczególnego powodu.

25 ◆ Żądaj podwyżki, kiedy uznasz,
że na nią zasługujesz.

26 ◆ Kiedy się bijesz, uderzaj pierwszy
i wal z całej siły.

27 ◆ Zwracaj to, co pożyczyłeś.

28 ◆ Ucz czegoś.

29 ◆ Ucz się czegoś.

30 ◆ Nigdy nie kupuj domu bez kominka.

31 ◆ Kupuj wszystko, co dzieci sprzedają
przed swoim domem.

32 ◆ Raz w życiu kup sobie wóz sportowy.

33 ◆ Traktuj każdego napotkanego człowieka tak,
jak sam chciałbyś być traktowany.

34 ◆ Naucz się odróżniać muzykę Chopina, Mozarta i Beethovena.

35 ◆ Zasadź drzewo w dniu swoich urodzin.

36 ◆ Dwa razy w roku oddawaj honorowo krew.

37 ◆ Zawieraj nowe przyjaźnie, ale ceń sobie stare.

38 ◆ Dochowuj tajemnicy.

39 ◆ Rób dużo zdjęć.

40 ◆ Nigdy nie odmawiaj spróbowania domowych ciasteczek.

41 ◆ Nie odmawiaj sobie radości.

42 ◆ Nie zwlekaj z wysłaniem kartek z podziękowaniami.

43. Nie spisuj nikogo na straty. Cuda zdarzają się co dzień.

44 ◆ Okazuj szacunek nauczycielom.

45 ◆ Okazuj szacunek policjantom i strażakom.

46 ◆ Okazuj szacunek wojskowym.

47 ◆ Nie trać czasu na uczenie się
"tajemnic" zawodu. Ucz się zawodu.

48 ◆ Trzymaj nerwy na wodzy.

49 ◆ Kupuj warzywa prosto od rolników, którzy reklamują swój towar odręcznymi napisami.

50 ◆ Zakręcaj tubkę z pastą do zębów.

51 ◆ Wynoś śmieci nie czekając, aż cię poproszą.

52 ◆ Unikaj słońca.

53 ◆ Głosuj.

54 ◆ Zaskakuj tych, których kochasz, drobnymi niespodziewanymi prezentami.

55 ◆ Przestań mieć pretensje do innych. Bierz odpowiedzialność za każdy swój krok.

56 ✦ Nigdy nie mów, że jesteś na diecie.

57 ✦ Wykorzystaj nawet najgorsze sytuacje.

58 ✦ Zawsze przyjmuj wyciągniętą dłoń.

59 ✦ Żyj tak, żeby twoje dzieci, gdy będą myśleć
o uczciwości, trosce o innych
i prawdomówności, kojarzyły to zawsze z tobą.

60 ◆ Przyznawaj się do błędów.

61 ◆ Gdy wyjeżdżasz na dłużej, proś sąsiadów, żeby wyjmowali ze skrzynki twoje listy i gazety. To pierwsza rzecz, której wypatrują potencjalni włamywacze.

62 ◆ Używaj dowcipu, żeby bawić, nie ranić.

63 ◆ Pamiętaj, że wszystkie informacje są stronnicze.

64 ◆ Ukończ kurs fotografii.

65 ◆ Pozwól się wyprzedzać, kiedy tkwisz w korku drogowym.

66 ◆ Wspieraj orkiestrę szkolną.

67 ◆ Żądaj wysokiej jakości i bądź gotów za nią płacić.

68 . Bądź odważny.
A jeżeli nie jesteś,
udawaj, że jesteś. Nikt
nie zauważy różnicy.

69 ◆ Gwiżdż.

70 ◆ Przytulaj dzieci po tym, kiedy je ukarzesz.

71 ◆ Naucz się robić piękne przedmioty własnymi rękami.

72 ◆ Oddawaj biednym wszystkie ubrania, których nie miałeś na sobie przez ostatnie trzy lata.

73 ◆ Nigdy nie zapominaj o swojej rocznicy ślubu.

74 ◆ Jedz suszone śliwki.

75 ◆ Jeźdź na rowerze.

76 ◆ Wybierz jakąś instytucję dobroczynną
w swojej dzielnicy i wspomagaj ją szczodrze
pieniędzmi i czasem.

77 ◆ Nie sądź, że zdrowie jest ci dane
raz na zawsze.

78 ◆ Kiedy ktoś proponuje ci pracę, nawet jeżeli
nie jesteś nią zainteresowany, porozmawiaj.
Nigdy nie mów „nie", dopóki nie wysłuchasz
propozycji osobiście.

79 ◆ Trzymaj się z daleka od narkotyków
i od ludzi, którzy mają z nimi do czynienia.

80 ◆ Tańcz także powoli.

81 ◆ Unikaj złośliwych uwag.

82 ◆ Unikaj restauracji, do których zachodzą
uliczni muzykanci.

83 ◆ Pamiętaj, że w interesach i w stosunkach
rodzinnych najważniejszą rzeczą jest zaufanie.

84 ◆ Nie małpuj sąsiadów.

85 ◆ Nigdy nie namawiaj nikogo, żeby został prawnikiem.

86 ◆ Nie pal.

87 ◆ Nawet jeżeli będziesz człowiekiem zamożnym, niech twoje dzieci pracują i płacą częściowo za studia.

88 ◆ Nawet jeżeli będziesz człowiekiem zamożnym, niech twoje dzieci pracują i płacą za siebie ubezpieczenie samochodowe.

89 ◆ Zwracaj makulaturę, butelki i puszki.

90 ◆ Napełnij pojemniki na lód.

91 ◆ Nie dopuść, żeby ktoś cię widział pijanego.

92 ◆ Nigdy nie inwestuj na giełdzie więcej, niż możesz stracić bez większego uszczerbku.

93 ◆ Wybierz towarzyszkę życia z rozmysłem. Od tej jednej decyzji będzie zależeć dziewięćdziesiąt procent twojego szczęścia lub nieszczęścia.

94 ◆ Niech się stanie twoim przyzwyczajeniem oddawanie przysług ludziom, którzy się nigdy o tym nie dowiedzą.

95 ◆ Bierz udział w zjazdach koleżeńskich.

96 ◆ Pożyczaj ludziom tylko te książki, z którymi
bez żalu możesz się rozstać.

97 ◆ Zawsze miej przed oczami coś pięknego,
nawet jeżeli to będzie stokrotka w szklance.

98 ◆ Naucz się pisać na maszynie.

99. Myśl o sprawach wielkich, ale nie lekceważ drobnych przyjemności.

100 ◆ Zapoznaj się z Kartą Praw.

101 ◆ Naucz się czytać sprawozdania finansowe.

102 ◆ Powtarzaj często swoim dzieciom,
że są wspaniałe i że masz do nich zaufanie.

103 ◆ Używaj kart kredytowych tylko dla wygody,
nigdy żeby kupować na kredyt.

104 ◆ Codziennie zrób żwawym krokiem
półgodzinny spacer.

105 ◆ Zafunduj sobie na urodziny masaż.

106 ◆ Nigdy nie oszukuj.

107 ◆ Uśmiechaj się jak najczęściej.
To nic nie kosztuje i jest bezcenne.

108 ◆ Nigdy nie zamawiaj więcej niż jeden cocktail lub jedną lampkę wina podczas służbowego obiadu z kontrahentami. Jeżeli nikt inny nie pije, ty też nie pij.

109 ◆ Naucz się prowadzić samochód z ręczną skrzynią biegów.

110 ◆ Przygotuj krakersy „Pepperidge Farm Gingerman" z masłem orzechowym, to najlepsza późnowieczorna przekąska.

111 ◆ Nigdy nie przeklinaj.

112 ◆ Nigdy nie dyskutuj z policjantami
i zwracaj się do nich z szacunkiem.

113 ◆ Naucz się rozpoznawać miejscowe kwiaty,
ptaki i drzewa.

114 ◆ Trzymaj gaśnicę w kuchni i samochodzie.

115 ◆ Daj sobie rok na przeczytanie Biblii od deski do deski.

116 ◆ Rozważ wpisanie zaleceń dla lekarzy na wypadek długotrwałej utraty przytomności.

117 ◆ Załóż dobre zamki u drzwi wejściowych.

118 ◆ Nie kupuj drogich win, walizek i zegarków.

119 ◆ Wrzuć pianki marshmallows
do gorącej czekolady.

120 ◆ Naucz się udzielać pierwszej pomocy
w przypadku ataku serca.

121 ◆ Oprzyj się pokusie zakupu łodzi.

122 ◆ Zatrzymuj się i czytaj przydrożne
historyczne tablice.

123 . Naucz się słuchać,
okazja czasami puka
bardzo cicho.

124 ◆ Naucz się zmieniać oponę.

125 ◆ Naucz się wiązać muszkę.

126 ◆ Szanuj prawo swoich dzieci do prywatności, pukaj, zanim wejdziesz do ich pokoju.

127 ◆ Noś śmiałą bieliznę pod najbardziej konserwatywnym ubraniem.

128 ◆ Pamiętaj nazwiska ludzi.

129 ◆ Przedstaw się dyrektorowi banku, w którym prowadzisz interesy. To ważne, żeby znał cię osobiście.

130 ◆ Zostawiaj deskę klozetową opuszczoną.

131 ◆ Naucz się stolic stanów.

132 ◆ Zwiedź Waszyngton.

133 ◆ Kiedy ktoś opowiada o ważnym wydarzeniu ze swojego życia, nie staraj się zaćmić go swoją opowieścią. Daj mu tę chwilę w światłach rampy.

134 ◆ Nie kupuj tanich narzędzi. Firma Craftsman z Sears ma jedne z najlepszych.

135 ◆ Wyprostuj sobie krzywe zęby.

136 ◆ Popraw kolor przebarwionych zębów.

137 ◆ Nastaw swój zegarek tak, żeby śpieszył się o pięć minut.

138 ◆ Naucz się hiszpańskiego. Za kilka lat dla przeszło trzydziestu pięciu procent Amerykanów będzie to pierwszy język.

139. Nigdy nie pozbawiaj nikogo nadziei, może to wszystko, co mu zostało.

140 ◆ Kiedy zaczynasz interes, nie martw się, że masz za mało pieniędzy. Ograniczone fundusze to nie wada lecz zaleta. Nic bardziej nie rozwija pomysłowości.

141 ◆ Zrób godzinną przerwę, zanim odpowiesz na prowokację. Jeżeli to coś naprawdę ważnego, zaczekaj z tym do rana.

142 ◆ Płać swoje rachunki w terminie.

143 ◆ Zapisz się do ligi softballowej, w której piłkę narzuca się w zwolniony sposób.

144 ◆ Zaproś kogoś na kręgle.

145 ◆ Trzymaj latarkę i zapasowe baterie pod łóżkiem i w schowku samochodu.

146 ◆ Grając z dziećmi, pozwól im wygrywać.

147 ◆ Wyłączaj telewizor na czas kolacji.

148 ◆ Naucz się bezpiecznie obchodzić ze strzelbą i pistoletem.

149 ◆ Zrezygnuj z jednego posiłku tygodniowo i zaoszczędzone pieniądze daj żebrakowi.

150 ◆ Śpiewaj w jakimś chórze.

151 ◆ Zawrzyj znajomość z dobrym prawnikiem, księgowym i hydraulikiem.

152 ◆ Wywieszaj sztandar 4 lipca.

153 ◆ Stój na baczność z ręką na sercu, kiedy śpiewasz lub słyszysz hymn narodowy.

154 ◆ Oprzyj się pokusie nagrywania dowcipnego tekstu w swojej automatycznej sekretarce.

155 ◆ Spisz testament i powiedz spadkobiercy, gdzie go trzymasz.

156 ◆ Mniejsza o perfekcję, bądź po prostu bardzo dobry.

157 ◆ Znajduj czas na wąchanie róż.

158 ◆ Módl się nie o rzeczy, ale o mądrość i odwagę.

159 ◆ Miej żelazną wolę ale miękkie serce.

160 ◆ Używaj pasów bezpieczeństwa.

161 ◆ Odbywaj kontrolne wizyty u lekarza i u dentysty.

162 ◆ Utrzymuj porządek na biurku
i w miejscu pracy.

163 ◆ Przejedź się choć raz pierwszą klasą
pociągu sypialnego.

164 ◆ Bądź punktualny i wymagaj tego od innych.

165 ◆ Nie trać czasu na polemiki z tymi,
którzy cię krytykują.

166 ◆ Unikaj ludzi, którym się nic nie podoba.

167 ◆ Nie bądź sknerą nawet pod pozorem, że oszczędzasz na spadek dla dzieci.

168 ◆ Powstrzymuj się od mówienia ludziom, jak trzeba coś zrobić. Mów tylko, co trzeba zrobić, a nieraz zaskoczą cię twórczymi rozwiązaniami.

169 ◆ Bądź oryginalny.

170 ◆ Bądź schludny.

171 ◆ Nigdy nie rezygnuj z tego, co naprawdę
chcesz robić. Człowiek z wielkimi
ambicjami jest silniejszy od tego,
który jest tylko realistą.

172 ◆ Bądź podejrzliwy wobec wszystkich
polityków.

173. Bądź bardziej uprzejmy, niż to jest konieczne.

174 ◆ Zachęcaj swoje dzieci do podejmowania jakichś prac zarobkowych po ukończeniu szesnastego roku życia.

175 ◆ Dawaj innym drugą szansę, ale nie trzecią.

176 ◆ Czytaj uważnie wszystko, co podpisujesz. Pamiętaj, że to co jest napisane dużym drukiem, daje, a to co jest małym drukiem, zabiera.

177 ◆ Nie załatwiaj niczego w gniewie.

178 ◆ Naucz się rozpoznawać rzeczy mało ważne, żeby nie zawracać sobie nimi głowy.

179 ◆ Zostań najlepszym przyjacielem swojej żony.

180 ◆ Zwalczaj przesądy i dyskryminację wszędzie, gdzie je napotkasz.

181 ◆ Zużywaj się, nie rdzewiej.

182 ◆ Bądź romantyczny.

183 ◆ Niech ludzie wiedzą, czego będziesz bronić, a czego nie.

184 ◆ Nie rzucaj pracy, póki nie masz umówionej innej.

185 ◆ Nigdy nie krytykuj osoby, która podpisuje twoją wypłatę. Jeżeli jesteś niezadowolony z pracy, zrezygnuj.

186 ◆ Bądź bezgranicznie ciekawy. Pytaj często „dlaczego".

187 ◆ Oceniaj ludzi na podstawie ich serca, nie konta bankowego.

188 . Stań się najbardziej
zaangażowanym
i entuzjastycznym
człowiekiem, jakiego
znasz.

189 ◆ Naucz się naprawiać cieknący kran i spłuczkę.

190 ◆ Miej dobrą postawę. Wkraczaj do pomieszczenia z celem i pewnością.

191 ◆ Nie przejmuj się, że nie możesz swoim dzieciom zapewnić wszystkiego, co najlepsze. Zapewnij im wszystko najlepsze, co możesz.

192 ◆ Pij chude mleko.

193 ◆ Używaj mało soli.

194 ◆ Jedz mniej czerwonego mięsa.

195 ◆ Określaj klasę dzielnicy na podstawie manier ludzi, którzy w niej mieszkają.

196 ◆ Zaskocz nowego sąsiada którymś ze swoich ulubionych domowych dań i dołącz przepis.

197 ◆ Nigdy nie zapominaj, że największą emocjonalną potrzebą człowieka jest potrzeba akceptacji.

198 ◆ Wrzuć żeton do automatu parkingowego kogoś nieznajomego, komu skończył się opłacony czas.

199 ◆ Parkuj na końcu parkingu, spacer dobrze ci zrobi.

200 ◆ Nie oglądaj brutalnych programów telewizyjnych i nie kupuj produktów firm, które je sponsorują.

201 ◆ Nie żyw urazy.

202 ◆ Okazuj szacunek wszystkiemu, co żyje.

203 ◆ Pożyczony samochód oddawaj z pełnym bakiem.

204 ◆ Wybierz sobie pracę zgodną z twoim systemem wartości.

205 ◆ Rozluźnij się. Spokojnie. Z wyjątkiem spraw życia i śmierci, nic nie jest tak ważne, jak się początkowo wydaje.

206 ◆ W pracy dawaj z siebie wszystko. Jest to jedna z najlepszych inwestycji, jaką możesz zrobić.

207 ◆ Grając w baseball staraj się prawidłowo odbić piłkę aż za samo ogrodzenie boiska.

208 ◆ Chodź na pokazy dyplomowe szkół artystycznych i zawsze coś kupuj.

209 ◆ Przestrzegaj ograniczeń prędkości.

210. Nastaw się na ciągłą pracę nad sobą.

211 ◆ Zapisz swojego psa na kurs tresury.
Obaj dużo się nauczycie.

212 ◆ Nie pozwól, żeby telefon przerywał ci
w ważnych momentach. Ma służyć tobie,
a nie tym, co dzwonią.

213 ◆ Nie trać czasu na kontemplowanie
popełnionych błędów. Ucz się na nich
i idź dalej.

214 ◆ Kiedy cię chwalą, szczere „dziękuję"
jest wystarczającą odpowiedzią.

215 ◆ Nie planuj długiego wieczoru, kiedy
umawiasz się na ślepo. Najlepiej umawiać
się na lunch. Jeżeli spotkanie się nie uda,
oboje stracicie nie więcej niż godzinę.

216 ◆ Nie rozmawiaj o interesach w windzie.
Nigdy nie wiadomo, kto może cię
podsłuchać.

217 ◆ Naucz się przegrywać.

218 ◆ Naucz się wygrywać.

219 ◆ Nigdy nie rób zakupów w sklepie
spożywczym z pustym żołądkiem.
Kupisz za dużo.

220 ◆ Poświęcaj mniej czasu na zastanawianie się,
kto ma rację, a więcej na rozważanie,
co jest słuszne.

221 ◦ Nie specjalizuj się
w byle czym.

222 ◆ Pomyśl dwa razy, zanim obciążysz przyjaciela swoją tajemnicą.

223 ◆ Chwal publicznie.

224 ◆ Krytykuj w cztery oczy.

225 ◆ Nigdy nie mów nikomu, że wygląda na zmęczonego lub przygnębionego.

226 ◆ Kiedy ktoś cię obejmuje, poczekaj, aż on pierwszy puści.

227 ◆ Powstrzymaj się od dawania rad w sprawach małżeńskich, finansowych i fryzur.

228 ◆ Miej nienaganne maniery.

229 ◆ Nigdy nie płać za pracę, póki nie zostanie ukończona.

230 ◆ Obracaj się w dobrym towarzystwie.

231 ◆ Prowadź dziennik.

232 ◆ Dotrzymuj obietnic.

233 ◆ Unikaj kościołów, które mają wyściełane ławki i gdzie planuje się budowę parafialnej sali gimnastycznej.

234 ◆ Naucz swoje dzieci wartości pieniądza i konieczności oszczędzania.

235 ◆ Bądź gotów przegrać bitwę, żeby wygrać wojnę.

236 ◆ Nie daj się zwieść pierwszym wrażeniom.

237 ◆ Doszukuj się w ludziach dobra.

238 ◆ Nie zachęcaj do niegrzecznej lub nieuważnej obsługi, dając standardowe napiwki.

239 ◆ Co roku na Boże Narodzenie oglądaj w telewizji film *It's A Wonderful Life*.

240 ◆ Pij codziennie osiem szklanek wody.

241 ◆ Szanuj tradycję.

242 ◆ Bądź ostrożny w pożyczaniu pieniędzy przyjaciołom. Możesz stracić i pieniądze, i przyjaciół.

243 ◆ Przy każdej okazji mów dobrym pracownikom, ile znaczą dla firmy.

244 ◆ Kup karmnik dla ptaków i umieść go tak, żebyś go widział z okna w kuchni.

245. Nigdy nie rozcinaj tego, co można rozwiązać.

246 ◆ Odpowiadaj dzieciom, które machają ci z okien autobusów szkolnych.

247 ◆ Nagraj wspomnienia rodziców o tym, jak się spotkali i o pierwszych latach ich małżeństwa.

248 ◆ Szanuj czas innych. Uprzedzaj telefonicznie, jeżeli masz się spóźnić więcej niż dziesięć minut.

249 ◆ Zatrudniaj mądrzejszych od siebie.

250 ◆ Naucz się okazywać dobry humor nawet wtedy, kiedy czujesz co innego.

251 ◆ Naucz się okazywać entuzjazm nawet wtedy, kiedy czujesz co innego.

252 ◆ Opiekuj się tymi, których kochasz.

253 ◆ Bądź skromny. Wiele osiągnięto przed twoim przyjściem na świat.

254 ◆ Nie komplikuj.

255 ◆ Kupuj benzynę w najbliższej stacji, nawet jeżeli kosztuje nieco drożej.
Podczas najbliższej zimy, kiedy samochód nie będzie chciał ruszyć, będziesz zadowolony, że masz tam znajomych.

256 ◆ Uważaj na jezdni.

257 ◆ Nigdy nie pytaj prawnika ani księgowego o radę w interesach. Ich zawód to wyszukiwanie problemów, a nie rozwiązań.

258 ◆ Kiedy spotkasz kogoś po raz pierwszy, powstrzymaj się od pytania go o zawód. Ciesz się towarzystwem, nie sugerując się jego pozycją.

259 ◆ Unikaj jak zarazy wszelkich procesów sądowych.

260 ◆ Codziennie dawaj swojej rodzinie odczuć, jak bardzo ją kochasz, słowami, uściskiem, troską.

261 ◆ Wyjeżdżaj z rodziną na wakacje, czy cię na to stać, czy nie. Wspomnienia będą bezcenne.

262 ◆ Nie plotkuj.

263 ◆ Nie rozmawiaj o zarobkach.

264 ◆ Nie gderaj.

265 ◆ Unikaj gier hazardowych.

266 ◆ Strzeż się osób, które nie mają nic do stracenia.

267 ◆ Połóż się na wznak i popatrz w gwiazdy.

268 ◆ Nie zostawiaj kluczyków w stacyjce.

269 ◆ Nie narzekaj.

270 ◆ Przychodź do pracy wcześnie i wychodź po wyznaczonej godzinie.

271 ◆ Stając wobec trudnego zadania, działaj tak, jakbyś nie mógł przegrać. Jeżeli wyruszysz na połów Moby Dicka, zabierz sos tatarski.

272 ◆ Wymieniaj filtry w klimatyzatorze co trzy miesiące.

273 ◆ Pamiętaj, że błyskawiczny sukces wymaga zazwyczaj piętnastu lat przygotowań.

274 ◆ Zostawiaj wszystko
w nieco lepszym stanie
niż zastałeś.

275 ◆ Wycinaj z gazety pochlebne artykuły
o znajomych i wysyłaj im z gratulacjami.

276 ◆ Popieraj okoliczne sklepy, nawet jeżeli ceny
w nich są nieco wyższe.

277 ◆ Napełniaj bak, kiedy jest w trzech
czwartych opróżniony.

278 ◆ Nie oczekuj, że pieniądze dadzą ci szczęście.

279 ◆ Nigdy nie pstrykaj palcami, żeby zwrócić czyjąś uwagę. To niegrzeczne.

280 ◆ Niezależnie od sytuacji zachowuj zimną krew.

281 ◆ Płacąc gotówką, żądaj rabatu.

282 ◆ Znajdź sobie dobrego krawca.

283 ◆ Nie dłub w zębach przy ludziach.

284 ◆ Nigdy nie lekceważ swojej zdolności do zmiany samego siebie.

285 ◆ Nigdy nie przeceniaj swojej zdolności do zmieniania innych.

286 ◆ Ćwicz się w empatii. Staraj się zobaczyć rzeczy z punktu widzenia innych ludzi.

287 ◆ Obiecuj dużo i dotrzymuj słowa.

288 ◆ Ucz się oszczędzać pieniądze. To podstawa sukcesu.

289 ◆ Zdobądź kondycję i utrzymuj ją.

290 ◆ Znajdź jakiś inny sposób na wykazanie swojej męskości niż zabijanie bezbronnych zwierząt i ptaków.

291 ◆ Pamiętaj, że interes nie jest zakończony, dopóki nie zrealizujesz czeku bankowego.

292 ◆ Nie pal za sobą mostów. Zdziwisz się, ile razy będziesz musiał przekraczać tę samą rzekę.

293 ◆ Nie rozmieniaj się na drobne.
Naucz się grzecznie i szybko mówić „nie".

294 ◆ Miej niskie koszty własne.

295 ◆ Miej wielkie nadzieje.

296 ◆ Akceptuj ból i rozczarowanie
jako część życia.

297 ◆ Pamiętaj, że udane małżeństwo zależy
od dwóch rzeczy: od znalezienia właściwej
osoby i od bycia właściwą osobą.

298 ◆ Traktuj kłopoty jako okazje
do samodoskonalenia i rozwoju.

299 ◆ Nie wierz ludziom, kiedy cię proszą,
żebyś był z nimi szczery.

300 ◆ Nie oczekuj od życia sprawiedliwości.

301 ◆ Stań się ekspertem od gospodarowania czasem.

302 ◆ Zamykaj samochód na klucz nawet, jeżeli parkujesz przed własnym domem.

303 ◆ Nigdy nie kładź się spać, jeżeli w zlewie są brudne naczynia.

304 · Oceniaj swój sukces na podstawie tego, czy cieszysz się zdrowiem, spokojem i miłością.

305 ◆ Naucz się posługiwać piłą i młotkiem.

306 ◆ Uprawiaj drzemkę w niedzielne popołudnie.

307 ◆ Pochwal posiłek, kiedy jesteś gościem w czyimś domu.

308 ◆ Pościel po sobie łóżko, kiedy nocujesz u kogoś w domu.

309 ◆ Poświęcaj pięć procent swoich dochodów na cele dobroczynne.

310 ◆ Myj po sobie wannę.

311 ◆ Nie trać czasu na grę w karty.

312 ◆ Kiedy kusi cię, żeby skrytykować rodziców, żonę lub dzieci, ugryź się w język.

313 ◆ Nigdy nie lekceważ potęgi miłości.

314 ◆ Nigdy nie lekceważ potęgi przebaczenia.

315 ◆ Nie zanudzaj ludzi swoimi kłopotami.
Kiedy cię pytają, jak się czujesz, mów
„świetnie". Kiedy cię pytają, jak się mają
sprawy, mów „wspaniale, coraz lepiej".

316 ◆ Naucz się grzecznie nie zgadzać.

317 ◆ Bądź taktowny. Nigdy nie odpychaj nikogo umyślnie.

318 ◆ Wysłuchaj obu stron, zanim wydasz sąd.

319 ◆ Powstrzymuj się od zawiści.
To źródło wielu nieszczęść.

320 ◆ Bądź rycerski wobec wszystkich.

321 ◆ Na przejściach przed szkołą pozdrawiaj policjantki przeprowadzające dzieci przez jezdnię.

322 ◆ Nie mów, że brak ci czasu. Twój dzień ma dokładnie tyle samo godzin, co dzień Helen Keller, Pasteura, Michała Anioła, Matki Teresy, Leonarda da Vinci, Thomasa Jeffersona i Alberta Einsteina.

323 ◆ Kiedy nie masz czasu na pełną gimnastykę, rób chociaż pompki.

324 ◆ Nie zwlekaj z realizacją dobrego pomysłu. Może się zdarzyć, że ktoś inny też na niego wpadnie. Wygrywa ten, kto pierwszy zacznie działać.

325 ◆ Uważaj na ludzi, którzy opowiadają, jacy oni są uczciwi.

326 ◆ Pamiętaj, że zwycięzcy robią to, czego
przegrywającym nie chce się robić.

327 ◆ Kiedy rano przychodzisz do pracy, niech
pierwsze twoje słowa umilą wszystkim dzień.

328 ◆ Szukaj swojej szansy, nie bezpieczeństwa.
Okręt w porcie jest bezpieczny,
ale z czasem jego dno przerdzewieje.

329 ◆ Zainstaluj w swoim domu wykrywacz dymu.

330 ◆ Odnawiaj stare przyjaźnie.

331 ◆ W podróży miej zawsze w portfelu kartkę
ze swoim nazwiskiem, numerem telefonu,
telefonem przyjaciela lub bliskiego
krewnego, ważną informację zdrowotną
plus numer hotelu, w którym się zatrzymasz.

332 . Niech twoje życie
będzie wykrzyknikiem,
nie znakiem zapytania.

333 ◆ Zamiast mówić: „co ja takiego zrobiłem", spróbuj powiedzieć: „następnym razem zrobię to inaczej".

334 ◆ Zamiast słowa „kłopot" staraj się używać słowa „możliwość".

335 ◆ Co jakiś czas wypróbuj swoje szczęście.

336 ◆ Następnego psa weź ze schroniska.

337 ◆ Przeczytaj na nowo swoją ulubioną książkę.

338 ◆ Przeżyj życie tak, żeby twoim epitafium mogło być: „Nie żałuję".

339 ◆ Nigdy nie odchodź w połowie sprzeczki z żoną.

340 ◆ Nie myśl, że wyższa cena zawsze oznacza wyższą jakość.

341 ◆ Nie daj się nabrać. Jeżeli coś wydaje się zbyt dobre, żeby mogło być prawdziwe, to pewnie tak jest.

342 ◆ Kiedy wynajmujesz samochód na parę dni, zaszalej i weź wielkiego „Lincolna".

343 ◆ Co do mebli i ubrań: jeżeli sądzisz, że będziesz z nich korzystał przez pięć lat lub dłużej, kupuj najlepsze, na jakie cię stać.

344 ◆ Kupuj w drugstorach, w których mają jeszcze dystrybutory z wodą sodową.

345 ◆ Próbuj wszystkiego, co proponują demonstratorzy żywności w supermarketach.

346 ◆ Bądź śmiały i odważny. Kiedy spojrzysz wstecz na swoje życie, bardziej będziesz żałować, że czegoś nie zrobiłeś, niż że coś zrobiłeś.

347 ◆ Nigdy nie przegap
okazji, żeby powiedzieć
komuś, że go kochasz.

348 ◆ Miej w domu dobre słowniki.

349 ◆ Miej w domu dobre leksykony.

350 ◆ Kiedy kupujesz dom, najważniejsze są trzy rzeczy: położenie, położenie i położenie.

351 ◆ Przechowuj papiery wartościowe w sejfie bankowym.

352 ◆ Weź udział w obchodach 4 Lipca w małym miasteczku.

353 ◆ Przejrzyj wszystkie swoje stare zdjęcia. Wybierz dziesięć i zawieś je na szafkach w kuchni. Zmieniaj je co miesiąc.

354 ◆ Tłumacząc zerwanie romantycznego związku, mów zawsze: „To była moja wina".

355 ◆ Oceniaj siebie na podstawie swoich własnych standardów, nie cudzych.

356 ◆ Bądź tam, gdzie ludzie cię potrzebują.

357 ◆ Niech twoi reprezentanci w Waszyngtonie wiedzą, co myślisz. Dzwoń (202) 225–3121 do Izby Reprezentantów i (202) 224–3121 do Senatu. Centrala połączy cię z właściwym biurem.

358 ◆ Decyduj się, nawet za cenę,
że czasami się pomylisz.

359 ◆ Nie daj się nikomu namówić do rezygnacji
z czegoś, co uważasz za znakomity pomysł.

360 ◆ Bądź przygotowany na to, że co jakiś czas
przegrasz.

361 ◆ Nigdy nie bierz ostatniego ciasteczka.

362 ◆ Wiedz, kiedy należy milczeć.

363 ◆ Wiedz, kiedy należy się odezwać.

364 ◆ Staraj się codziennie mieć jakiś pomysł, który polepszy twoje małżeństwo.

365 ◆ Staraj się codziennie mieć jakiś pomysł, który poprawi twoją pracę.

366 ◆ Nie spłukuj pisuarów, naciskając przycisk dłonią, rób to łokciem.

367 ◆ Nabywaj rzeczy po staroświecku, oszczędzaj na nie i płać gotówką.

368 ◆ Pamiętaj, że niczego nie osiąga się w pojedynkę. Miej wdzięczne serce i szybko dziękuj tym, którzy ci pomogli.

369 ◆ Przeczytaj *Sztukę przewodzenia* Maxa DePree (Dell, 1989).

370 ◆ Dawaj zarobić tym, którzy dają zarobić tobie.

371 ◆ Ot, tak, żeby sprawdzić, jak to jest, przez następne dwadzieścia cztery godziny powstrzymaj się od krytykowania kogokolwiek lub czegokolwiek.

372 ◆ Obsługuj swoich klientów z entuzjazmem.

373 ◆ Pozwól swoim dzieciom podsłuchać,
jak je chwalisz przed innymi dorosłymi.

374 ◆ Nie szczędź starań, żeby wytworzyć
w swoich dzieciach dobre wyobrażenie
o sobie. To najlepsza rzecz, jaką możesz
zrobić, żeby im zapewnić sukces życiowy.

375. Sam kształtuj swoją postawę życiową. Nie pozwól, żeby ktoś inny zrobił to za ciebie.

376 ◆ Zachowaj jeden wieczór w tygodniu
tylko dla siebie i żony.

377 ◆ Miej w samochodzie kable do akumulatora.

378 ◆ Wszystkich wstępnych wycen remontów
i napraw żądaj na piśmie.

379 ◆ Daruj sobie komisje. Nowe, wzniosłe idee,
które zmieniają świat na lepsze, zawsze
pochodzą od jednej osoby działającej
w pojedynkę.

380 ◆ Zwracaj uwagę na szczegóły.

381 ◆ Miej inicjatywę.

382 ◆ Bądź lojalny.

383 ◆ Wiedz, że szczęście nie polega na majątku, władzy ani prestiżu, ale na stosunkach z ludźmi, których kochasz i szanujesz.

384 ◆ Nigdy nie dawaj osobie, którą kochasz, prezentu sugerującego potrzebę zmiany.

385 ◆ Gratuluj nawet małych postępów.

386 ◆ Zakręcaj kurek, kiedy myjesz zęby.

387 ◆ Noś drogie buty, paski i krawaty, ale kupuj je na wyprzedażach.

388 ◆ Kiedy nie możesz się zdecydować, na jaki kolor pomalować pokój, wybierz „starą biel".

389 ◆ Noś w portfelu znaczki. Nigdy nie wiadomo, kiedy znajdziesz idealną pocztówkę dla przyjaciela lub osoby, którą kochasz.

390 ◆ Uliczni muzykanci to skarb. Zatrzymaj się przez chwilę i posłuchaj, potem daj niewielki datek.

391 ◆ Popieraj równą płacę za równą pracę.

392 ◆ Płać zawsze swoją część.

393 ◆ Naucz się posługiwać komputerem Macintosh.

394 ◆ Ilekroć masz poważne kłopoty ze zdrowiem, zasięgaj porady przynajmniej trzech lekarzy.

395 ◆ Pozostań otwarty, elastyczny, ciekawy.

396 ◆ Nigdy nie przynoś nikomu w prezencie tortu owocowego.

397 ◆ Nie bierz nigdy jednego kociaka. Z dwoma jest znacznie zabawniej, a kłopotów tyle samo.

398 ◆ Zaczynaj zebrania o oznaczonej godzinie niezależnie od tego, kto się spóźnia.

399 . Dąż do ulepszania,
nie do mnożenia rzeczy.

400 ◆ Trzymaj się z dala od nocnych klubów.

401 ◆ Nigdy nie przyglądaj się produkcji parówek lub kiełbas.

402 ◆ Zaczynaj każdy dzień od swojej ulubionej muzyki.

403 ◆ Złóż wizytę w nocnym sądzie swojego miasta w sobotni wieczór.

404 ◆ Na zebraniach siadaj z przodu.

405 ◆ Nie daj się zastraszyć lekarzom
i pielęgniarkom. Nawet w szpitalu jesteś
właścicielem swojego ciała.

406 ◆ Czytaj uważnie rachunki szpitalne.
Stwierdzono, że osiemdziesiąt dziewięć
procent zawiera pomyłki — na korzyść
szpitala.

407 ◆ Co jakiś czas wybierz trasę widokową.

408 ◆ Nie pozwól, abyś stał się niewolnikiem swoich rzeczy.

409 ◆ Walcz z zaśmiecaniem świata.

410 ◆ Wysyłaj dużo kart w dniu Świętego Walentego. Podpisuj je: „Ktoś, kto uważa, że jesteś cudowna".

411 ◆ Sam rąb drewno do kominka.

412 ◆ Kiedy posprzeczasz się z żoną, przepraszaj niezależnie od tego, kto ma rację. Powiedz: „Przepraszam, że cię zdenerwowałem. Wybacz mi proszę". To są czarodziejskie, leczące słowa.

413 ◆ Nie chełp się swoimi sukcesami, ale też nie przepraszaj za nie.

414 ◆ Zetknąwszy się ze złą obsługą, jedzeniem lub towarem, zgłaszaj to osobie odpowiedzialnej. Dobrzy szefowie będą wdzięczni za sygnał.

415 ◆ Okazuj radość z powodu sukcesów innych.

416 ◆ Nie zwlekaj. Rób to, co trzeba, wtedy kiedy trzeba.

417 ◆ Czytaj swoim dzieciom.

418 ◆ Śpiewaj swoim dzieciom.

419 ◆ Słuchaj, co mówią twoje dzieci.

420 ◆ Określ jasno, co jest dla ciebie
najważniejsze. Jeszcze się nie zdarzyło, żeby
ktoś na łożu śmierci powiedział:
„Ach, żałuję, że nie spędzałem więcej czasu
w biurze".

421 . Dbaj o swoją reputację. To twój największy skarb.

422 ◆ Włączaj światła samochodu,
kiedy zaczyna padać.

423 ◆ Zachowuj bezpieczną odległość na jezdni.

424 ◆ Podpisz i noś przy sobie kartę dawcy
organów.

425 ◆ Nie lituj się nad sobą. Ilekroć poczujesz
groźbę tego uczucia, zrób coś dla kogoś,
kto jest w gorszej sytuacji niż ty.

426 ◆ Kiedy odnosisz sukces, wymieniaj współautorów.

427 ◆ Nie zadowalaj się ocenami dostatecznymi.

428 ◆ Dawaj z siebie więcej, niż od ciebie oczekują.

429 ◆ Pojedź na jarmark i obejrzyj eksponaty prezentowane przez młodzież z organizacji 4-H. To odnowi twoją wiarę w młode pokolenie.

430 ◆ Wybierz sobie lekarza w twoim wieku, tak żebyście starzeli się razem.

431 ◆ W nagłych przypadkach używaj wody sodowej jako środka do czyszczenia plam.

432 ◆ Jeśli chcesz sukcesu w pracy, zmień swój stosunek do pracy.

433 ◆ Zaprzyjaźnij się z kimś, kto ma ciężarówkę.

434 ◆ W kinie kupuj Junior Mints i posyp sobie nimi prażoną kukurydzę.

435 ◆ Sporządź listę dwudziestu pięciu spraw, które chcesz przeżyć przed śmiercią. Noś ją w portfelu i często do niej zaglądaj.

436 ◆ Miej jakieś wyobrażenie o trzech religiach innych niż twoja własna.

437 ◆ Podnosząc słuchawkę telefonu, odzywaj się z energią i radością.

438 ◆ Każdy człowiek, którego poznajesz, wie coś, czego ty nie wiesz. Ucz się od ludzi.

439 ◆ Zarejestruj na taśmie śmiech twoich rodziców.

440 ◆ Kupuj samochody, które mają poduszki powietrzne.

441 ◆ Spotykając kogoś, kogo nie znasz dobrze, przedstaw się z nazwiska. Nigdy nie zakładaj, że ktoś cię pamięta, nawet jeżeli się już spotkaliście.

442 ◆ To co robisz, rób dobrze za pierwszym razem.

443 ◆ Śmiej się często. Poczucie humoru jest lekarstwem na prawie wszystkie nieszczęścia świata.

444. Nigdy nie lekceważ potęgi dobrego słowa lub uczynku.

445 ◆ Nie dawaj kelnerce mniejszego napiwku dlatego, że obiad ci nie smakował. To nie ona gotowała.

446 ◆ Wymieniaj w swoim samochodzie olej i filtr co pięć tysięcy kilometrów niezależnie od tego, co mówi instrukcja.

447 ◆ Przeprowadzaj rodzinne ćwiczenia przeciwpożarowe. Upewnij się, że każdy wie, co robić na wypadek pożaru domu.

448 ◆ Nie wstydź się mówić: „Nie wiem".

449 ◆ Nie wstydź się mówić: „Pomyliłem się".

450 ◆ Nie wstydź się mówić: „Potrzebuję pomocy".

451 ◆ Nie wstydź się mówić: „Przepraszam".

452 ◆ Nigdy nie wdawaj się w kompromisy z sumieniem.

453 ◆ Trzymaj na nocnym stoliku notatnik i ołówek. Pomysły za milion dolarów wpadają czasami do głowy o trzeciej nad ranem.

454 ◆ Okazuj szacunek wszystkim, którzy zarabiają na życie pracą.

455 ◆ Czytaj niedzielne wydanie „New York Timesa", żeby być człowiekiem poinformowanym.

456 ◆ Poślij kwiaty osobie, którą kochasz. Powód wymyślisz później.

457 ◆ Chodź na zawody, przedstawienia i koncerty, w których biorą udział twoje dzieci.

458 ◆ Kiedy znajdziesz idealną pracę, bierz ją niezależnie od płacy. Jeżeli będziesz miał potrzebne cechy, twoja płaca wkrótce będzie odpowiadała twojej wartości dla firmy.

459. Nie trać czasu
ani słów na darmo,
bo nigdy już ich nie
odzyskasz.

460 ◆ Szukaj sposobów, by dać ludziom odczuć, że są ważni.

461 ◆ Zorganizuj swoje życie. Jeżeli nie wiesz, od czego zacząć, przeczytaj *Getting organized* Stephanie Winston (Warner Books, 1978).

462 ◆ Kiedy dziecko przewróci się i skaleczy sobie kolano albo łokieć, zawsze okazuj współczucie. Nie żałuj czasu i pocałuj je, „żeby przestało boleć".

463 ◆ Bądź otwarty na nowe idee.

464 ◆ Skupiając się na sprawach przyszłych, nie przegap uroków teraźniejszości.

465 ◆ Rozmawiając z dziennikarzami pamiętaj, że oni mają zawsze ostatnie słowo.

466 ◆ Ustal sobie cele krótko- i dalekosiężne.

467 ◆ Planując wyjazd za granicę, przeczytaj o miejscach, które odwiedzisz, albo, jeszcze lepiej, wypożycz krajoznawcze video-kasety.

468 ◆ Nie psuj innym zabawy.

469 ◆ Wstawaj na powitanie osób wchodzących do twojego pokoju w biurze.

470 ◆ Nie przerywaj.

471 ◆ Zanim pojedziesz po kolacji na lotnisko, zadzwoń, żeby się upewnić, czy samolot przylatuje o czasie.

472 ◆ Delektuj się prawdziwym syropem klonowym.

473 ◆ Nie pozwól się zmuszać do pośpiesznego podejmowania ważnych decyzji. Ludzie zrozumieją, jeżeli powiesz: „Potrzebuję nieco czasu do namysłu. Czy możemy wrócić do tej rozmowy jutro?"

474 ◆ Bądź przygotowany. Nigdy już nie nadarzy się druga okazja, żeby zrobić dobre pierwsze wrażenie.

475 ◆ Nie spodziewaj się, że ludzie będą słuchać twoich dobrych rad, a przeoczą twój zły przykład.

476 ◆ Bądź wytrwały. Kiedy się podejmujesz jakiegoś zadania, doprowadź je do końca.

477 ◆ Odmawiaj modlitwę dziękczynną przed każdym posiłkiem.

478 ◆ Nie staraj się kierować życiem innych ludzi.

479 ◆ Odpowiadaj natychmiast na zaproszenia wymagające potwierdzenia (R.S.V.P).
Jeżeli podany jest numer telefonu, dzwoń, jeżeli nie, wyślij liścik.

480 ◆ Zabierz dziecko do ZOO.

481 . Uważaj na wielkie kłopoty, kryją się za nimi wielkie szanse.

482 ◆ Przyzwyczaj się, kiedy wchodzisz do domu, kłaść portfel i kluczyki do samochodu zawsze w tym samym miejscu.

483 ◆ Naucz się jakiejś sztuczki z kartami.

484 ◆ Nie daj się nabrać na restauracje, które się obracają.

485 ◆ Pozwól ludziom korzystać z dobrodziejstwa wątpliwości.

486 ◆ Nigdy nie przyznawaj się w pracy, że jesteś zmęczony, zły lub znudzony.

487 ◆ Postanów wstawać o pół godziny wcześniej. Rób to przez rok, a dodasz siedem i pół dnia do swojego życia na jawie.

488 ◆ Spraw radość — opłać za kogoś myto na autostradzie, kto jedzie za tobą.

489 ◆ Nie popełniaj dwukrotnie tego samego błędu.

490 ◆ Nie jeźdź na zdartych oponach.

491 ◆ Trzymaj gdzieś dodatkowy kluczyk do samochodu na wypadek, gdybyś zatrzasnął kluczyki w środku.

492 ◆ Załóż izolację na zbiornik z gorącą wodą, żeby oszczędzać energię.

493 ◆ Odkładaj dziesięć procent zarobków.

494 ◆ Nigdy nie rozmawiaj o pieniądzach
z ludźmi, którzy mają ich dużo więcej
albo dużo mniej niż ty.

495 ◆ Nigdy nie kupuj samochodu w kolorze
beżowym.

496 ◆ Nigdy nie kupuj czegoś, czego nie
potrzebujesz, tylko dlatego, że zostało
przecenione.

497 ◆ Lepiej podjąć walkę
i przegrać, niż przegrać,
czekając na błąd
przeciwnika.

498 ◆ Sprawdzaj swoje cele, zadając pytanie: „Czy to mi pomoże rozwinąć moje możliwości?"

499 ◆ Ceń swoje dzieci za to, czym są, nie za to, czym byś chciał, żeby były.

500 ◆ Kiedy negocjujesz swoją płacę, pomyśl, ile byś chciał, a potem zażądaj o dziesięć procent więcej.

501 ◆ Trzymaj kilka srok za ogon.

502 ◆ Kiedy po ciężkiej pracy uzyskałeś to, o co ci chodziło, znajdź czas, żeby się tym nacieszyć.

503 ◆ Wypatruj okazji, żeby wyrazić wdzięczność i pochwałę.

504 ◆ Dbaj o jakość.

505 ◆ Bądź przywódcą. Pamiętaj, że tylko pierwszy pies w zaprzęgu ma dobry widok.

506 ◆ Nigdy nie lekceważ mocy słów do leczenia i naprawiania stosunków między ludźmi.

507 ◆ Twój umysł może pomieścić tylko jedną myśl naraz. Niech to będzie myśl konstruktywna i pozytywna.

508 ◆ Zostań czyimś bohaterem.

509 ◆ Żeń się tylko z miłości.

510 ◆ Dziękuj Bogu za to, co masz.

511 ◆ Zadzwoń do matki.

◆ Twoje Rady i Spostrzeżenia ◆

LIFE'S LITTLE
INSTRUCTION BOOK

511 suggestions, observations, and reminders
on how to live a happy and rewarding life

For Adam, my son
and in many ways my teacher

Son, how can I help you see?
May I give you my shoulders
    to stand on?
Now you see farther than me.
Now you see for both of us.
Won't you tell me what you see?

1. Compliment three people every day. **2.** Have a dog. **3.** Watch a sunrise at least once a year. **4.** Remember other people's birthdays. **5.** Overtip breakfast waitresses. **6.** Have a firm handshake. **7.** Look people in the eye. **8.** Say "thank you" a lot. **9.** Say "please" a lot. **10.** Learn to play a musical instrument. **11.** Sing in the shower. **12.** Use the good silver. **14.** Plant flowers every spring. **15.** Own a great stereo system. **16.** Be the first to say, "Hello". **17.** Live beneath your means. **18.** Drive inexpensive cars, but own the best house you can afford. **19.** Buy great books even if you never read them.

20. Be forgiving of yourself and others. **21.** Learn three clean jokes. **22.** Wear polished shoes. **23.** Floss your teeth. **24.** Drink champagne for no reason at all. **25.** Ask for a raise when you feel you've earned it. **26.** If in a fight, hit first and hit hard. **27.** Return all things you borrow. **28.** Teach some kind of class. **29.** Be a student in some kind of class. **30.** Never buy a house without a fireplace. **31.** Buy whatever kids are selling on card tables in their front yards. **32.** Once in your life own a convertible. **33.** Treat everyone you meet like you want to be treated. **34.** Learn to identify the music of Chopin, Mozart, and Beethoven. **35.** Plant a tree on your birthday. **36.** Donate two pints of blood every year. **37.** Make new friends but cherish the old ones. **38.** Keep secrets. **39.** Take lots of snapshots.

40. Never refuse homemade brownies. **41.** Don't postpone joy. **42.** Write "thank you" notes promptly. **43.** Never give up on anybody. Miracles happen every day. **44.** Show respect for teachers. **45.** Show respect for police officers and firefighters. **46.** Show respect for military personnel. **47.** Don't waste time learning the "tricks of the trade". Instead, learn the trade. **48.** Keep a tight rein on your temper. **49.** Buy vegetables from truck farmers who advertise with hand-lettered signs.

50. Put the cap back on the toothpaste. **51.** Take out the garbage without being told. **52.** Avoid overexposure to the sun. **53.** Vote. **54.** Surprise loved ones with little unexpected gifts. **55.** Stop blaming others. Take responsibility for every area of your life. **56.** Never mention being on a diet. **57.** Make the best of bad situations. **58.** Always accept an outstretched hand. **59.** Live so that when your children think of fairness, caring, and integrity, they think of you.

60. Admit your mistakes. **61.** Ask someone to pick up your mail and daily paper when you're out of town. Those are the first two things potential burglars look for. **62.** Use your wit to amuse, not abuse. **63.** Remember that all news is biased. **64.** Take a photography course. **65.** Let people pull in front of you when you're stopped in traffic. **66.** Support a high school band. **67.** Demand excellence and be willing to pay for it. **68.** Be brave. Even if you're not, pretend to be. No one can tell the difference. **69.** Whistle. **70.** Hug children after you discipline them. **71.** Learn to make something beautiful with your hands. **72.** Give to charity all the clothes you haven't worn during the past three years. **73.** Never forget your anniversary. **74.** Eat prunes. **75.** Ride a bike. **76.** Choose a charity in your community and support it generously with your time and money. **77.** Don't take good health for granted. **78.** When someone wants to hire you, even if it's for a job you have little interest in, talk to them. Never close the door on an opportunity until you've had a chance to hear the offer in person. **79.** Don't mess with drugs, and don't associate with those who do.

80. Slow dance. **81.** Avoid sarcastic remarks. **82.** Steer clear of restaurants with strolling musicians. **83.** In business and in family relationships, remember that the most important thing is trust. **84.** Forget the Joneses. (*Nawiązanie do wyrażenia „Keeping up with the Joneses", co oznacza* *dążenie do dotrzymania kroku sąsiadom.)* **85.** Never encourage anyone to become a lawyer. **86.** Don't smoke. **87.** Even if you're financially well-to-do, have your children earn and pay part of their college tuition. **88.** Even if you're financially well-to-do, have your children earn and pay for all their automobile insurance. **89.** Recycle old newspapers, bottles, and cans. **90.** Refill ice cube trays. **91.** Don't let anyone ever see you tipsy. **92.** Never invest more in the stock market than you can afford to lose. **93.** Choose your life's mate carefully. From this one decision will come ninety percent of all your happiness or misery. **94.** Make it a habit to do nice things for people who'll never find out. **95.** Attend class reunions. **96.** Lend only those books you never care to see again. **97.** Always have something beautiful in sight, even if it's just a daisy in a jelly glass. **98.** Know how to type. **99.** Think big thoughts, but relish small pleasures.

100. Read the Bill of Rights (*Amerykanie mogą znaleźć swoją konstytucję w wielu encyklopediach i słownikach. Aby czytelnikowi polskiemu było łatwiej do niej dotrzeć, przedrukowujemy polskie tłumaczenie pierwszych dziesięciu „poprawek", tj. uzupełnień do Konstytucji Stanów Zjednoczonych, 1791, gwarantujących prawa jednostki.*)

POPRAWKA I: Kongres nie może stanowić ustaw wprowadzających religię albo zabraniających swobodnego wykonywania praktyk religijnych; ani ustaw ograniczających wolność słowa lub prasy, albo naruszających prawo do spokojnego odbywania zebrań i wnoszenia do rządu petycji o naprawę krzywd.

POPRAWKA II: Dobrze zorganizowana milicja jest niezbędna dla bezpieczeństwa wolnego państwa; prawo ludzi do posiadania i noszenia broni nie może być naruszone.

POPRAWKA III: W czasie pokoju wojsko nie będzie kwaterowane w żadnym domu bez zgody właściciela, a w czasie wojny też tylko w sposób prawem określony.

POPRAWKA IV: Nie będzie naruszane prawo ludzi do bezpieczeństwa osobistego, nietykalności mieszkania, papierów i ruchomości, oraz zapewniające ochronę przed nieuzasadnionymi rewizjami i sekwestrami. Nakaz rewizji lub aresztowania może być wydany jedynie przez sąd na podstawie uzasadnionego podejrzenia, popartego przysięgą lub oświadczeniem, przy czym dokładnie musi być wymienione miejsce rewizji oraz osoby i rzeczy, które mają być obłożone aresztem.

POPRAWKA V: Nikt nie będzie pociągany do odpowiedzialności za zbrodnię gardłową lub inne przestępstwo hańbiące bez zalecenia lub postawienia w stan oskarżenia przez Wielką Ławę Przysięgłych; przepis ten nie dotyczy członków wojska, marynarki wojennej ani milicji, będącej w służbie czynnej podczas wojny lub zagrożenia ładu publicznego. Nie wolno też tej samej osoby sądzić ani narażać na karę śmierci lub karę cielesną dwukrotnie za to samo przestępstwo; ani też nie wolno wymagać od oskarżonego w sprawie karnej, by świadczył przeciwko sobie, ani pozbawić go życia, wolności lub mienia inaczej niż w drodze czyniącej zadość istotnym wymaganiom sprawiedliwości. Nie wolno też zajmować niczyjej własności prywatnej na użytek publiczny bez słusznego odszkodowania.

POPRAWKA VI: We wszystkich sprawach karnych oskarżonemu przysługuje prawo do szybkiej i jawnej rozprawy przed bezstronną ławą przysięgłych w tym stanie i okręgu, w którym przestępstwo zostało popełnione, przy czym okręg ma być uprzednio prawnie ustalony. Oskarżonego należy pouczyć o charakterze i przyczynie oskarżenia, postawić go wobec świadków oskarżenia, w razie potrzeby pod przymusem sprowadzić świadków korzystnych dla niego i zapewnić mu obrońcę.

POPRAWKA VII: W sprawach opartych na prawie zwyczajowym, gdy wartość przedmiotu sporu przekracza 20 dolarów, prawo do rozprawy przed sądem przysięgłych będzie zachowane, a żadna sprawa osądzona przez przysięgłych nie może być ponownie rozpatrywana przez jakikolwiek inny sąd Stanów Zjednoczonych, jak tylko w zgodzie z postanowieniami prawa zwyczajowego.

POPRAWKA VIII: Nie wolno żądać nadmiernych kaucji ani wymierzać nadmiernych grzywien albo stosować kar okrutnych lub wymyślnych.

POPRAWKA IX: Wymienienie w Konstytucji określonych praw nie oznacza zniesienia lub ograniczenia innych praw, przysługujących ludowi.

POPRAWKA X: Uprawnienia, których Konstytucja nie powierzyła Stanom Zjednoczonym ani nie wyłączyła z właściwości poszczególnych stanów, przysługują nadal poszczególnym stanom bądź ludowi.

101. Learn how to read a financial report. **102.** Tell you kids often how terrific they are and that you trust them. **103.** Use credit cards only for convenience, never for credit. **104.** Take a brisk thirty-minute walk every day. **105.** Treat yourself to a massage on your birthday. **106.** Never cheat. **107.** Smile a lot. It costs nothing and is beyond price. **108.** When dining with clients or business associates, never order more than one cocktail or one glass of wine. If no one else is drinking, don't drink at all. **109.** Know how to drive a stick shift. (*W Ameryce prawie wszystkie samochody mają automatyczne skrzynie biegów i wielu Amerykanów nie potrafi prowadzić wozu z ręczną skrzynią biegów.*) **110.** Spread crunchy peanut butter on Pepperidge Farm Gingerman cookies for the perfect late-night snack. **111.** Never use profanity. **112.** Never argue with police officers, and address them as "officer". **113.** Learn to identify local wildflowers, birds, and trees. **114.** Keep fire extinguishers in your kitchen and car. **115.** Give yourself a year and read the Bible cover to cover. **116.** Consider writing a living will. (*Dokument zawierający wskazówki dla lekarzy, w przypadku kiedy nieprzytomny człowiek jest utrzymywany przy życiu przez aparaturę i nie może wyjaśnić swoich życzeń.*) **117.** Install dead bolt locks on outside doors. **118.** Don't buy expensive wine, luggage, or watches. **119.** Put a lot of little marshmallows in your hot chocolate. (*Chodzi o miękkie, białe słodycze często dodawane do gorącej czekolady.*)

120. Learn CPR (*Skrót od Cardiopulmonary resuscitation.*) **121.** Resist the temptation to buy a boat. **122.** Stop and read historical roadside markers. **123.** Learn to listen. Opportunity sometimes knocks very softly. **124.** Know how to change a tire. **125.** Know how to tie a bow tie. **126.** Respect your children's privacy. Knock before entering their rooms. **127.** Wear audacious underwear under the most solemn business attire. **128.** Remember people's names. **129.** Introduce yourself to the manager where you bank. It's important that he/she knows you personally. **130.** Leave the toilet seat in the down position. **131.** Learn the capitals of the states. **132.** Visit Washington, D.C., and do the tourist bit. **133.** When someone is relating an important event that's happened to them, don't try to top them with a story of your own. Let them have the stage. **134.** Don't buy cheap tools. Craftsman tools from Sears are among the best. **135.** Have crooked teeth straightened. **136.** Have dull-colored teeth whitened. **137.** Keep your watch five minutes fast. **138.** Learn Spanish. In a few years, more than thirty-five percent of all Americans will speak it as their first language. **139.** Never deprive someone of hope; it might be all they have.

140. When starting out, don't worry about not having enough money. Limited funds are a blessing, not a curse. Nothing encourages creative thinking in quite the same way. **141.** Give yourself an hour to cool off before responding to someone who has provoked you. If it involves something really important, give yourself overnight. **142.** Pay your bills on time. **143.** Join a slow-pitch softball league. (*Forma baseballu nie wymagająca specjalnych umiejętności, dostępna dla ludzi starszych.*) **144.** Take someone bowling. **145.** Keep a flashlight and extra batteries under the bed and in the glove box of your car. **146.** When playing games with children, let them win. **147.** Turn off the television at dinner time. **148.** Learn to handle a pistol and rifle safely. **149.** Skip one meal a week and give what you would have spent to a street person. **150.** Sing in a choir. **151.** Get acquainted with a good lawyer, accountant, and plumber. **152.** Fly Old Glory on the Fourth of July. **153.** Stand at attention and put your hand over your heart when singing the national anthem. **154.** Resist the temptation to put a cute message on your answering machine. **155.** Have a will and tell your next-of-kin where it is. **156.** Strive for excellence, not perfection. **157.** Take time to smell the roses. **158.** Pray not for things, but for wisdom and courage. **159.** Be tough minded but tenderhearted.

160. Use seat belts. **161.** Have regular medical and dental checkups. **162.** Keep your desk and work area neat. **163.** Take an overnight train trip and sleep in a Pullmann. (*Z wagonów pullmanowskich korzysta obecnie niewielu Amerykanów.*) **164.** Be punctual and insist on it in others. **165.** Don't waste time responding to your critics. **166.** Avoid negative people. **167.** Don't scrimp in order to leave money to your children. **168.** Resist telling people how something should be done. Instead, tell them what needs to be done. They will often surprise you with creative solutions. **169.** Be original. **170.** Be neat. **171.** Never give up on what you really want to do. The person with big dreams is more powerful than one with all the facts. **172.** Be suspicious of all politicians. **173.** Be kinder than necessary. **174.** Encourage your children to have a part-time job after the age of sixteen. **175.** Give people a second chance, but not a third. **176.** Read carefully anything that requires your signature. Remember the big print giveth and the small print taketh away. **177.** Never take action when you're angry. **178.** Learn to recognize the inconsequential, then ignore it. **179.** Be your wife's best friend.

180. Do battle agains prejudice and discrimination wherever you find it. **181.** Wear out, don't rust out. **182.** Be romantic. **183.** Let people know what you stand for — and what you won't stand for. **184.** Don't quit a job until you've lined up another. **185.** Never criticize the person who signs your paycheck. If you are unhappy with your job, resign. **186.** Be insatiably curious. Ask "why" a lot. **187.** Measure people by the size of their hearts, not the size of their bank accounts. **188.** Become the most positive and enthusiastic person you know. **189.** Learn how to fix a leaky faucet and toilet. **190.** Have good posture. Enter a room with purpose and confidence. **191.** Don't worry that you can't give your kids the best of everything. Give them your very best. **192.** Drink low fat milk. **193.** Use less salt. **194.** Eat less red meat. **195.** Determine the quality of a neighborhood by the manners of the people living there. **196.** Surprise a new neighbor with one of your favorite homemade dishes and include the recipe. **197.** Don't forget, a person's greatest emotional need is to feel appreciated. **198.** Feed a stranger's expired parking meter. **199.** Park at the back of the lot at shopping centers. The walk is good exercise.

200. Don't watch violent television shows, and don't buy the products that sponsor them. **201.** Don't carry a grudge. **202.** Show respect for all living things. **203.** Return borrowed vehicles with the gas tank full. **204.** Choose work that is in harmony with your values. **205.** Loosen up. Relax. Except for rare life-and-death matters, nothing is as important as it first seems. **206.** Give your best to your employer. It's one of the best investments you can make. **207.** Swing for the fence. **208.** Attend high school art shows, and always buy something. **209.** Observe the speed limit. **210.** Commit yourself to constant self improvement. **211.** Take your dog to obedience school. You'll both learn a lot. **212.** Don't allow the phone to interrupt important moments. It's there for your convenience, not the caller's. **213.** Don't waste time grieving over past mistakes. Learn from them and move on. **214.** When complimented, a sincere "thank you" is the only response required. **215.** Don't plan a long evening on a blind date. A lunch date is perfect. If things don't work out, both of you have only wasted an hour. (*„Blind date" to randka w ciemno, kiedy umawiają się ludzie,* *którzy się nie znają.*) **216.** Don't discuss business in elevators. You never know who may overhear you. **217.** Be a good loser. **218.** Be a good winner. **219.** Never go grocery shopping when you're hungry. You'll buy too much.

220. Spend less time worrying who's right, and more time deciding what's right. **221.** Don't major in minor things. **222.** Think twice before burdening a friend with a secret. **223.** Praise in public. **224.** Criticize in private. **225.** Never tell anyone they look tired or depressed. **226.** When someone hugs you, let them be the first to let go. **227.** Resist giving advice concerning matrimony, finances, or hair styles. **228.** Have impeccable manners. **229.** Never pay for work before it's completed. **230.** Keep good company. **231.** Keep a daily journal. **232.** Keep your promises. **233.** Avoid any church that has cushions on the pews and is considering building a gymnasium. **234.** Teach your children the value of money and the importance of saving. **235.** Be willing to lose a battle in order to win the war. **236.** Don't be deceived by first impressions. **237.** Seek out the good in people. **238.** Don't encourage rude or inattentive service by tipping the standard amount. **239.** Watch the movie *It's a Wonderful Life* every Christmas. (*Film z 1946 r., w którym początkujący anioł pokazuje Jamesowi Stewartowi, jak wyglądałoby życie w jego miasteczku, gdyby się nie urodził. Film kończący się obchodami Bożego Narodzenia, początkowo zrobił klapę finansową, ale później podbił serca Amerykanów i jest corocznie pokazywany w telewizji na Boże Narodzenie.*)

240. Drink eight glasses of water every day. **241.** Respect tradition. **242.** Be cautious about lending money to friends. You might lose both. **243.** Never waste an opportunity to tell good employees how much they mean to the company. **244.** Buy a bird feeder and hang it so that you can see it from your kitchen window. **245.** Never cut what can be untied. **246.** Wave at children on school buses. **247.** Tape record your parents' memories of how they met and their first years of marriage. **248.** Show respect for others' time. Call whenever you're going to be more than ten minutes late for an appointment. **249.** Hire people smarter than you. **250.** Learn to show cheerfulness, even when you don't feel like it. **251.** Learn to show enthusiasm, even when you don't feel like it. **252.** Take good care of those you love. **253.** Be modest. A lot was accomplished before you were born. **254.** Keep it simple. **255.** Purchase gas from the neighborhood gas station even if it costs more. Next winter when it's six degrees and your car won't start, you'll be glad they know you. **256.** Don't jaywalk. **257.** Never ask a lawyer or accountant for business advice. They are trained to find problems, not solutions. **258.** When meeting someone for the first time, resist asking what they do for a living. Enjoy their company without attaching any labels. **259.** Avoid like the plague any lawsuit.

260. Every day show your family how much you love them with your words, with your touch, and with your thoughtfulness. **261.** Take family vacations whether you can afford them or not. The memories will be priceless. **262.** Don't gossip. **263.** Don't discuss salaries. **264.** Don't nag. **265.** Don't gamble. **266.** Beware of the person who has nothing to lose. **267.** Lie on your back and look at the stars. **268.** Don't leave car keys in the ignition. **269.** Don't whine. **270.** Arrive at work early and stay beyond quitting time. **271.** When facing a difficult task, act as though it is impossible to fail. If you're going after Moby Dick, take along the tartar sauce. (*Najsłynniejsza amerykańska powieść H. Melville'a opowiada o fanatycznym kapitanie statku polującym na białego wieloryba, Moby Dicka.*) **272.** Change air conditioner filters every three months. **273.** Remember that overnight success usually takes about fifteen years. **274.** Leave everything a little better than you found it. **275.** Cut out complimentary newspaper articles about people you know and mail the articles to them with notes of congratulations. **276.** Patronize local merchants even if it costs a bit more. **277.** Fill your gas tank when it falls below one-quarter full. **278.** Don't expect money to bring you happiness. **279.** Never snap your fingers to get someone's attention. It's rude.

280. No matter how dire the situation, keep your cool. **281.** When paying cash, ask for a discount. **282.** Find a good tailor. **283.** Don't use a toothpick in public. **284.** Never underestimate your power to change yourself. **285.** Never overestimate your power to change others. **286.** Practice empathy. Try to see things from other people's points of view. **287.** Promise big. Deliver big. **288.** Discipline yourself to save money. It's essential to success. **289.** Get and stay in shape. **290.** Find some other way of proving your manhood than by shooting defenseless animals and birds. **291.** Remember the deal's not done until the check has cleared the bank. **292.** Don't burn bridges. You'll be surprised how many times you have to cross the same river. **293.** Don't spread yourself too thin. Learn to say *no* politely and quickly. **294.** Keep overhead low. **295.** Keep expectations high. **296.** Accept pain and disappointment as a part of life. **297.** Remember that a successful marriage depends on two things: (1) finding the right person and (2) being the right person. **298.** See problems as opportunities for growth and self-mastery. **299.** Don't believe people when they ask you to be honest with them.

300. Don't expect life to be fair. **301.** Become an expert in time management. **302.** Lock your car even if it's parked in your own driveway. **303.** Never go to bed with dirty dishes in the sink. **304.** Judge your success by the degree that you're enjoying peace, health, and love. **305.** Learn to handle a handsaw and a hammer. **306.** Take a nap on Sunday afternoons. **307.** Compliment the meal when you're a guest in someone's home. **308.** Make the bed when you're an overnight visitor in someone's home. **309.** Contribute five percent of your income to charity. **310.** Don't leave a ring in the bathtub. **311.** Don't waste time playing cards. **312.** When tempted to criticize your parents, spouse, or children, bite your tongue. **313.** Never underestimate the power of love. **314.** Never underestimate the power of forgiveness. **315.** Don't bore people with your problems. When someone asks you how you feel — say, "Terrific, never better". When they ask, "How's business?" reply, "Excellent, and getting better every day". **316.** Learn to disagree without being disagreeable. **317.** Be tactful. Never alienate anyone on purpose. **318.** Hear both sides before judging. **319.** Refrain from envy. It's the source of much unhappiness.

320. Be courteous to everyone. **321.** Wave to crosswalk patrol mothers. (*W Ameryce, kiedy szkoła mieści się przy ruchliwej ulicy, wynajmuje się kobiety, zwykle którąś z matek, która w mundurze przeprowadza dzieci przez jezdnię.*) **322.** Don't say you don't have enough time. You have exactly the same number of hours per day that were given to Helen Keller, Pasteur, Michelangelo, Mother Teresa, Leonardo da Vinci, Thomas Jefferson, and Albert Einstein. **323.** When there's no time for a full work-out, do push-ups. **324.** Don't delay acting on a good idea. Chances are someone else has just thought of it, too. Success comes to the one who acts first. **325.** Be wary of people who tell you how honest they are. **326.** Remember that winners do what losers don't want to do. **327.** When you arrive at your job in the morning, let the first thing you say brighten everyone's day. **328.** Seek opportunity, not security. A boat in a harbor is safe, but in time its bottom will rot out. **329.** Install smoke detectors in your home. **330.** Rekindle old friendships. **331.** When traveling, put a card in your wallet with your name, home phone, the phone number of a friend or close relative, important medical information, plus the phone number of the hotel or motel where you're staying. **332.** Live your life as an exclamation, not an explanation. **333.** Instead of using the words, *if only*, try subsitituting the words, *next time*. **334.** Instead of using the word *problem*, try substituting the word *opportunity*. **335.** Ever so often push your luck. **336.** Get your next pet from the animal shelter. **337.** Reread your favorite book. **338.** Live your life so that your epitaph could read, "No regrets". **339.** Never walk out on a quarrel with your wife.

340. Don't think a higher price always means higher quality. **341.** Don't be fooled. If something sounds too good to be true, it probably is. **342.** When renting a car for a couple of days, splurge and get the big Lincoln. **343.** Regarding furniture and clothes: if you think you'll be using them five years or longer, buy the best you can afford. **344.** Patronize drug stores with soda fountains. **345.** Try everything offered by supermarket food demonstrators. **346.** Be bold and courageous. When you look back on your life, you'll regret the things you didn't do more than the ones you did. **347.** Never waste an opportunity to tell someone you love them. **348.** Own a good dictionary. **349.** Own a good thesaurus. **350.** Remember the three most important things when buying a home: location, location, location. (*Zwykle mówi się tak, gdy mowa o kupowaniu restauracji.*) **351.** Keep valuable papers in a bank lockbox. **352.** Just for fun, attend a small town Fourth of July celebration. **353.** Go through all your old photographs. Select ten and tape them to your kitchen cabinets. Change them every thirty days. **354.** To explain a romantic break-up, simply say, "It was all my fault". **355.** Evaluate yourself by your own standards, not someone else's. **356.** Be there when people need you. **357.** Let your representatives in Washington know how you feel. Call (202) 225–3121 for the House and (202) 224–3121 for the Senate. An operator will connect you to the right office. (*W Polsce możesz telefonować do Sejmu i Senatu w Warszawie, wybierając ten sam numer centrali: 0–2/694–25–00.*) **358.** Be decisive even if it means you'll sometimes be wrong. **359.** Don't let anyone talk you out of pursuing what you know to be a great idea.

360. Be prepared to lose once in a while. **361.** Never eat the last cookie. **362.** Know when to keep silent. **363.** Know when to speak up. **364.** Every day look for some small way to improve your marriage. **365.** Every day look for some small way to improve the way you do your job. **366.** Don't flush urinals with your hand — use your elbow. **367.** Acquire things the old-fashioned way: Save for them and pay cash. **368.** Remember no one makes it alone. Have a grateful heart and be quick to acknowledge those who help you. **369.** Read *Leadership is an Art* by Max DePree (DELL, 1989). **370.** Do business with those who do business with you. **371.** Just to see how it feels, for the next twenty-four hours refrain from criticizing anybody or anything. **372.** Give your clients your enthusiastic best. **373.** Let your children overhear you saying complimentary things about them to other adults. **374.** Work hard to create in your children a good self-image. It's the most important thing you can do to insure their success. **375.** Take charge of your attitude. Don't let someone else choose it for you. **376.** Save an evening a week for just you and your wife. **377.** Carry jumper cables in your car. **378.** Get all repair estimates in writing. **379.** Forget committees. New, noble, world-changing ideas always come from one person working alone.

380. Pay attention to the details. **381.** Be a self-starter. **382.** Be loyal. **383.** Understand that happiness is not based on possessions, power or prestige, but on relationships with people you love and respect. **384.** Never give a loved one a gift that suggests they need improvement. **385.** Compliment even small improvements. **386.** Turn off the tap when brushing your teeth. **387.** Wear expensive shoes, belts and ties, but buy them on sale. **388.** When undecided about what color to paint a room, choose antique white. (*„Antique white" to nieco żółtawa biel.*) **389.** Carry stamps in your wallet. You never know when you'll discover the perfect card for a friend or loved one. **390.** Street musicians are a treasure. Stop for a moment and listen; then leave a small donation.

391. Support equal pay for equal work. **392.** Pay your fair share. **393.** Learn how to operate a Macintosh computer. (*Komputer Macintosh, firmy „Apple", znany jest ze swej „życzliwości" wobec użytkownika.*) **394.** When faced with a serious health problem, get at least three medical opinions. **395.** Remain open, flexible, curious. **396.** Never give anyone a fruitcake. **397.** Never acquire just one kitten. Two are a lot more fun and no more trouble. **398.** Start meetings on time regardless of who's missing. **399.** Focus on making things better, not bigger.

400. Stay out of nightclubs. **401.** Don't ever watch hot dogs or sausage being made. **402.** Begin each day with your favorite music. **403.** Visit your city's night court on a Saturday night. **404.** When attending meetings, sit down front. **405.** Don't be intimidated by doctors and nurses. Even when you're in the hospital, it's still your body. **406.** Read hospital bills carefully. It's reported that 89% contain errors — in favor of the hospital. **407.** Every once in a while, take the scenic route. **408.** Don't let your possessions possess you. **409.** Wage war against littering. **410.** Send a lot of Valentine cards. Sign them, "Someone who thinks you're terrific". (*Z dniem św. Walentego, 14 lutego, związana jest amerykańska tradycja, którą gorąco popierają producenci pocztówek, polegająca na wysyłaniu kartek z czerwonym sercem osobom lubianym i kochanym. Karty są często anonimowe.*) **411.** Cut your own firewood. **412.** When you and your wife have a disagreement, regardless of who's wrong, apologize. Say, "I'm sorry I upset you. Would you forgive me?" These are healing, magical words. **413.** Don't flaunt your success, but don't apologize for it either. **414.** After experiencing inferior service, food, or products, bring it to the attention of the person in charge. Good managers will appreciate knowing. **415.** Be enthusiastic about the success of others. **416.** Don't procrastinate. Do what needs doing when it needs to be done. **417.** Read to your children. **418.** Sing to your children. **419.** Listen to your children.

420. Get your priorities straight. No one ever said on his death bed, "Gee, if I'd only spent more time at the office". **421.** Take care of your reputation. It's your most valuable asset. **422.** Turn on your headlights when it begins to rain. **423.** Don't tailgate. **424.** Sign and carry your organ donor card. **425.** Don't allow self-pity. The moment this emotion strikes, do something nice for someone less fortunate than you. **426.** Share the credit. **427.** Don't accept "good enough" as good enough. **428.** Do more than is expected. **429.** Go to a country fair and check out the 4-H Club exhibits. It will renew your faith in the younger generation. (*Organizacja 4-H, mająca charakter skautowski, skupia młodzież żyjącą głównie na farmach. „4-H" to inicjały czterech głównych haseł organizacji: „Head" — głowa, „Heart" — serce, „Hands" — ręce, „Health" — zdrowie.*) **430.** Select a doctor your own age so that you can grow old together. **431.** Use club soda as an emergency spot remover. **432.** Improve your performance by improving your attitude. **433.** Have a friend who owns a truck. **434.** At the movies, buy Junior Mints and sprinkle them on your popcorn. **435.** Make a list of twenty-five things you want to experience before you die. Carry it in your wallet and refer to it often. **436.** Have some knowledge of three religions other than your own. **437.** Answer the phone with enthusiasm and energy in your voice. **438.** Every person that you meet knows something you don't; learn from them. **439.** Tape record your parents' laughter.

440. Buy cars that have air bags. **441.** When meeting someone you don't know well, extend your hand and give them your name. Never assume they remember you even if you've met them before. **442.** Do it right the first time. **443.** Laugh a lot. A good sense of humor cures almost all of life's ills. **444.** Never underestimate the power of a kind word or deed. **445.** Don't undertip the waiter just because the food is bad; he didn't cook it. **446.** Change your car's oil and filter every three thousand miles regardless of what the owner's manual recommends. **447.** Conduct family fire drills. Be sure everyone knows what to do in case the house catches fire. **448.** Don't be afraid to say: "I don't know". **449.** Don't be afraid to say: "I made a mistake". **450.** Don't be afraid to say: "I need help". **451.** Don't be afraid to say: "I'm sorry". **452.** Never compromise your integrity. **453.** Keep a note pad and pencil on your bedside table. Million-dollar ideas sometimes strike at 3 A.M. **454.** Show respect for everyone who works for a living, regardless of how trivial their job. **455.** Read the Sunday *New York Times* to keep informed (*„New York Times" ma opinię gazety z najpełniejszym i, w większości tematów, najbardziej obiektywnym serwisem informacyjnym. Niedzielne wydanie waży około kilograma.*) **456.** Send your loved one flowers. Think of a reason later. **457.** Attend your children's athletic contests, plays, and recitals. **458.** When you find a job that's ideal, take it regardless of the pay. If you've got what it takes, your salary will soon reflect your value to the company. **459.** Don't use time or words carelessly. Neither can be retrieved.

460. Look for opportunities to make people feel important. **461.** Get organized. If you don't know where to start, read Stephanie Winston's *Getting Organized* (Warner Books, 1978). **462.** When a child falls and skins a knee or elbow, show concern; then take the time to "kiss it and make it well". **463.** Be open to new ideas. **464.** Don't miss the magic of the moment by focusing on what's to come. **465.** When talking to the press, remember they always have the last word. **466.** Set short-term and long-term goals. **467.** When planning a trip abroad, read about the places you'll visit before you go or, better yet, rent a travel video. **468.** Don't rain on other people's parades (*Wszelkiego rodzaju parady są w Ameryce bardzo popularne i wiele osób bierze udział w ich przygotowaniu. Duży deszcz, oczywiście, psuje takie wydarzenie i stąd idiom „Don't rain on my parade", kiedy ktoś żąda, żeby mu nie psuć czegoś, co organizuje*). **469.** Stand when greeting a visitor to your office. **470.** Don't interrupt. **471.** Before leaving to meet a flight, call the airline first to be sure it's on time. **472.** Enjoy real maple syrup (*Syrop klonowy uzyskuje się przez gotowanie soku pewnego gatunku klonu*). **473.** Don't be rushed into making an important decision. People will understand if you say, "I'd like a little more time to think it over. Can I get back to you tomorrow?". **474.** Be prepared. You never get a second chance to make a good first impression. **475.** Don't expect others to listen to your advice and ignore your example. **476.** Go the distance. When you accept a task, finish it. **477.** Give thanks before every meal. **478.** Don't insist on running someone else's life. **479.** Respond promptly to R. S. V. P. invitations. If there's a phone number, call; if not, write a note. (*Z francuskiego „Respondez, S'il Vous Plait" — Proszę odpowiedzieć. Osoba otrzymująca zaproszenie z tymi literami powinna potwierdzić swoje przybycie*).

480. Take a kid to the zoo. **481.** Watch for big problems. They disguise big opportunities. **482.** Get into the habit of putting your billfold and car keys in the same place when entering your home. **483.** Learn a card trick. **484.** Steer clear of restaurants that rotate. **485.** Give people the benefit of the doubt. **486.** Never admit at work that you're tired, angry, or bored. **487.** Decide to get up thirty minutes earlier. Do this for a year, and you will add seven and one-half days to your waking world. **488.** Make someone's day by paying the toll for the person in the car behind you. **489.** Don't make the same mistake twice. **490.** Don't drive on slick tires. **491.** Keep an extra key hidden somewhere on you car in case you lock yourself out. **492.** Put an insulation blanket around your hot water heater to conserve energy. **493.** Save ten percent of what you earn. **494.** Never discuss money with people who have much more or much less than you. **495.** Never buy a beige car. **496.** Never buy something you don't need just because it's on sale. **497.** Don't be called out on strikes. Go down swinging. (*W baseballu gracz uderzający piłkę kijem może w wątpliwych sytuacjach czekać na sygnał sędziego lub uderzać, ryzykując upomnienie*.) **498.** Question your goals by asking, "Will this help me become my very best?" **499.** Cherish your children for what they are, not for what you'd like them to be.

500. When negotiating your salary, think of what you want; then ask for ten percent more. **501.** Keep several irons in the fire. (*Większość Amerykanów nie zdaje sobie sprawy, że jest to wyrażenie z czasów, kiedy nie było jeszcze żelazek elektrycznych. Osoby zapobiegliwe prasowały jednym żelazkiem, podczas gdy inne żelazka grzały się na ogniu*). **502.** After you've worked hard to get what you want, take the time to enjoy it. **503.** Be alert for opportunities to show praise and appreciation. **504.** Commit yourself to quality. **505.** Be a leader. Remember the lead sled dog is the only one with a decent view. **506.** Never underestimate the power of words to heal and reconcile relationships. **507.** Your mind can only hold one thought at a time. Make it a positive and constructive one. **508.** Become someone's hero. **509.** Marry only for love. **510.** Count your blessings. **511.** Call your mother.

MEDIA RODZINA of POZNAŃ proponuje nowości:

Zawiera 365 rad
i wskazówek w języku
polskim i angielskim. Do
powieszenia na ścianie lub
postawienia na biurku.

Zawiera 512 prostackich,
grubiańskich i towarzysko
nie do przyjęcia wskazówek, jak
żyć w sposób nieskomplikowany
i samolubny.
Parodia *Małego poradnika życia*.

Najnowsze osiągnięcie
współczesnej patologii
uzależnień. Książka
proponuje pełną nadziei
wizję dla wszystkich,
którzy chcą zgłębić
tajemnice tego, kim są
naprawdę.

Dystrybucję i sprzedaż książek prowadzi Dział Handlowy Wydawnictwa
ul. Pasieka 24, 61–657 Poznań, tel. 20–34–75, fax 20–34–11